图书在版编目(CIP)数据

想吃苹果的鼠小弟/〔日〕中江嘉男编文;〔日〕上野纪子绘;赵静,文纪子译.
–海口:南海出版公司,2007.8
ISBN 978-7-5442-3748-2

Ⅰ.想… Ⅱ.①中… ②上… ③赵… ④文… Ⅲ.图画故事–
日本–现代 Ⅳ.I 313.85

中国版本图书馆 CIP 数据核字(2007)第 064625 号

XIANG CHI PINGGUO DE SHU XIAODI
想吃苹果的鼠小弟

著作权合同登记号　　　图字:30-2004-1

NEZUMIKUN NO EHON SERIES 2 RINGO GA TABETAI NEZUMIKUN

Text Copyright © 1975 by Yoshiwo Nakae

Illustrations Copyright © 1975 by Noriko Ueno

First published in Japan in 1975 by Poplar Publishing Co., Ltd.

Simplified Chinese translation copyright © 2004 by Nanhai Publishing Corporation

(南海出版公司)arranged with Poplar Publishing Co., Ltd.

All rights reserved

作　者	〔日〕中江嘉男	绘　图	〔日〕上野纪子	译　者	赵　静　文纪子	策　划	新经典文化
责任编辑	李　昕	责任校对	王　前	特邀编辑	周　江	网　址	www.readinglife.com
内文制作	杜高远	出版发行	南海出版公司	电　话	(0898) 66568511	电子邮箱	nanhaicbgs@yahoo.com.cn
社　址	海口市海秀中路51号星华大厦五楼　邮编 570206			经　销	新华书店	印　刷	北京国彩印刷有限公司
开　本	889毫米×1194毫米 1/16			印　张	2.5	字　数	0.5千
版　次	2007年8月第1版　2007年8月第1次印刷			书　号	ISBN 978-7-5442-3748-2	定　价	22.00元

想吃苹果的鼠小弟

〔日〕中江嘉男 文 〔日〕上野纪子 图

赵静 文纪子 译

南海出版公司

2007·海口

来了一只小鸟，拿了一个苹果。

要是我也有翅膀……

来了一只猴子，拿了一个苹果。

要是我也会爬树……

来了一头大象，拿了一个苹果。

要是我也有长长的鼻子……

来了一只长颈鹿，拿了一个苹果。

要是我也有长长的脖子……

来了一只袋鼠，拿了一个苹果。

要是我也能跳那么高……

来了一头犀牛，拿了一个苹果。

要是我的力气也那么大……

来了一头海狮。

"鼠小弟，你怎么了？"

鼠小弟问他：

"你会飞吗？

你会爬树吗？

你有长长的鼻子吗？

你有长长的脖子吗？

你跳得高吗？

你的力气大吗？"

海狮回答说：

"这些我都不行。不过，我有一个本领……"

润物细无声

季 颖（日本圣和大学幼儿教育学专业博士生）

　　高高的树上长着可爱的红苹果。鼠小弟好想吃。要是像鸟儿一样能飞，像猴子一样会爬树，像大象一样有长长的鼻子，像……多好啊，看到其他的动物一个个使出自己的本领摘走苹果，鼠小弟羡慕地想。它学着袋鼠的样子跳，可是跳不高，学着犀牛的样子去撞树，结果碰了个鼻青脸肿。海狮虽然也没有其他动物那样的本领，可是，当它用顶球的绝活把鼠小弟抛到树上时，两个人就合作摘到了苹果。故事的结果是出人意料的，又是令人愉快的。

　　在这个愉快的故事中，孩子们翻开一页一页的图画，和那许多动物交了朋友，每个动物都有它们的可爱之处。孩子们会随着故事的发展去猜测，下一页上场的会是谁呢？鼠小弟吃到苹果了吗？怎样才能吃到呢？小小的悬念牵引着孩子们一页页翻开去。成功的作品是要给读者一个意外的惊喜。当看到鼠小弟被海狮高高地抛到空中的画面时，孩子们会发出满足的笑声，噢，原来如此！但是，还有意想不到的东西在等待着他们，版权页上那幅海狮把鼠小弟和两个苹果抛在空中耍杂技的小图，犹如尾声，增添了作品的余韵。在这里，读书完全成为一件快乐的事情。

　　然而，好的绘本带给孩子们的并不仅仅是一笑了之的快乐。虽然没有一丝一毫的说教，但是，即使是小孩子也能从作品中体味出一点儿什么。一位日本的小朋友，在幼儿园里个子最小，他对这事很在意。(孩子们是敏感的哟！)看了《想吃苹果的鼠小弟》以后说："只要想办法，人小也没关系。"《想吃苹果的鼠小弟》是他最喜欢的一本绘本。这位日本小朋友，读出了作品中潜含着的意思。

　　接受自己和自己的天性，比起竞争，更重要的是在自己的基础上发展自己，这是现代教育中最应该教给孩子们的事情。这层意思，我们在《想吃苹果的鼠小弟》中读到了。

　　所有的艺术作品，不管多么简单，都应该含有某种程度不同的意义。儿童书也不例外。含蓄的意思往往比生硬的灌输能更长久地存留在人们的心里。